La fe y obediencia de un hombre que consagró su vida al servicio de Dios.

El profeta Elías

YIYE AVILA

Publicado por
Editorial **Carisma**
Miami, Fl. 33172

Primera edición 1996

Cubierta diseñada por: Alicia Mejías

Producto 550042
ISBN 0-7899-0074-2
Impreso en Colombia
Printed in Colombia

Contenido

INTRODUCCIÓN

Cuando hablamos del profeta Elías estamos hablando de fe. Hablamos de un hombre que creyó a Dios, y le honró en todo momento. Muy poco se conoce del origen y vida de este profeta. Conocemos que era de Galaad, una región montañosa al oriente del río Jordán (1 Reyes 17:1). Su testimonio nos señala que era un hombre de un valor constante, celoso de la obra de Dios, fiel como pocos. Cada situación que le vemos enfrentar en el libro de los Reyes es un reto gigante de fe y confianza en Jehová Dios.

A la orden del Señor, se escondió en el arroyo de Querit y allí pasó unos días siendo alimentado por unos cuervos. A la petición de Elías, Dios cerró los cielos durante tres años y medio. Fue el hombre que se abrumó creyendo que era el único que quedaba de los profetas de Dios y que los profetas de Baal le sobrepasaban por cuatrocientos cincuenta hombres. Mas fue éste, el hombre que luego también retó a los dioses de Baal, los avergonzó, se burló de ellos y los erradicó. A través de este pequeño libro veremos la fidelidad del hombre de Dios aun en medio de las situaciones más adversas. Dios no es Dios de circunstancias, sino de orden y de propósitos. Es nuestra responsabilidad mantenernos fieles a Dios en todo momento, porque Él no falla. *"Si fuéremos infieles, él permanece fiel"*, (2 Timoteo 2:13).

ELÍAS SE ENFRENTA AL REY ACAB

Nos relata la Biblia que a petición de Elías, Dios cerró los cielos durante tres años y medio, y en cuyo tiempo hubo gran escasez de agua y comida, la situación era sumamente crítica. Durante el transcurso de estos años Elías fue alimentado por los cuervos junto al arroyo de Querit y luego por la viuda de Sarepta, cuya tinaja de harina y vasija de aceite no se agotaron.

Y la harina de la tinaja no escaseó, ni el aceite de la vasija menguó, conforme a la palabra que Jehová había dicho a Elías.

1 Reyes 17:16

Vino Palabra de Jehová sobre Elías, diciendo:

Vé, muéstrate a Acab,y yo haré llover sobre la faz de la tierra.

1 Reyes 18:1

Muchos morían de hambre, pero llegó el momento de Dios para enviar de nuevo lluvia, y llamó a Elías, profeta señalado y llamado por Él para que se presentara al Rey Acab. Acab fue uno de los reyes más impíos que ha existido, reinó 22 años en Israel. Como gobernante tuvo éxito económico y político. Por medio de sus alianzas logró que Israel fuese en aquel tiempo una nación próspera y respetable. Acab buscaba a Elías desesperadamente por todos lados para matarlo, porque creía que Elías era el responsable de la sequía. A pesar de su búsqueda no lo podía encontrar porque Jehová le escondía. De acuerdo a la ubicación geográfica de Querit, este arroyo corría por un escabroso desfiladero. Sus paredes estaban llenas de cuevas y se asume que en una de ellas se escondió Elías.

El mayordomo del rey

Mientras Elías iba de camino a buscar al rey Acab, se encontró con un hombre llamado Abdías, el cual era mayordomo del rey y un hombre temeroso de Dios. Elías al verlo le dijo: *"Ve, di a tu amo:*

Aquí está Elías" (1 Reyes 18:8). Abdías temeroso por su vida se dirigió hacia el rey a darle la noticia. Él tenía miedo porque sabía que Acab buscaba a Elías para matarlo, y si al llegar Acab al lugar señalado por Abdías no encontraba a Elías, le matarían a él. Por lo tanto iba temeroso, pero llegó donde estaba el rey y le dio aviso del paradero de Elías. Acab se dirigió rápidamente a su encuentro. Cuando Acab vio a Elías le dijo:

> *¿Eres tú el que turbas a Israel? Y él respondió: Yo no he turbado a Israel, sino tú y la casa de tu padre, dejando los mandamientos de Jehová, y siguiendo a los baales'.*
>
> 1 Reyes 18:17-18

Acab iba a matar a Elías, pero éste no se atemorizó. Él tenía una encomienda de parte de Dios y estaba dispuesto a cumplirla, porque sabía que si Dios lo había mandado, Él lo respaldaría y lo protegería aun del rey. Para Dios no hay nada imposible.

Si Dios te llama, no le pongas excusas, no le digas que no; si tienes a Dios, no le tengas miedo a nadie, no calles cuando Dios te dice que hables, lleva el mensaje con confianza, que si Dios está contigo, ¿quién contra ti? Cuando el hombre tiene a Dios en su corazón y tiene un llamado de Dios para dar un mensaje, habla lo que Dios le ha dado con autoridad.

La orden de Acab

Elías le ordenó al rey:

> *Envía, pues, ahora y congrégame a todo Israel en el monte Carmelo, y los cuatrocientos cincuenta profetas de Baal y a los cuatrocientos profetas de Asera, que comen de la mesa de Jezabel.*
>
> 1 Reyes 18:19

El rey venía a darle muerte, pero Elías le dio una orden sin importarle que Acab era el rey. Fíjese, que le habló a cuatrocientos cincuenta profetas de Baal, y los cuatrocientos profetas de Asera, dioses falsos de esos días. Estos compartían diariamente con Jezabel. Pero, ¿quién era Jezabel? Ella era la mujer de Acab, princesa sidonia, imperiosa, falta de escrúpulos, vengativa, resuelta y diabólica. La mujer más pervertida de quién habla la Biblia. Edificó un templo a Baal en Samaria, mantuvo a ochocientos cincuenta sacerdotes paganos, mató a los profetas de Jehová y abolió el culto a Él.

Acab y Jezabel habían puesto a Baal y Asera en lugar de Dios. Dios envió a Elías para erradicar esta abominación.

NO PUEDES SERVIR A A DOS SEÑORES

El rey Acab se movió obediente a la voz de Elías y reunió a Israel y a todos los profetas y los llevó al Monte Carmelo.

> *Y acercándose Elías a todo el pueblo, dijo: ¿Hasta cuándo claudicaréis vosotros entre dos pensamientos? Si Jehová es Dios, seguidle; y si Baal, id en pos de él. Y el pueblo no respondió palabra.*
>
> 1 Reyes 18:21

La decisión

Había que decidirse por uno de los dos. Ese es el mensaje de hoy en día para la iglesia del Señor, no le estaba hablando a cualquiera, le estaba hablando al pueblo de Israel, que era la iglesia del Señor en el Antiguo Testamento. Hoy es el mismo mensaje para la iglesia, ¿hasta cuándo claudicaréis en dos pensamientos, hasta cuándo claudicaréis en dos caminos? Si el Señor es Dios, sírvale a Él de todo corazón, ríndase a Él con toda su alma, con todo su espíritu, con todo su cuerpo, con todas sus fuerzas y no mire para atrás. Pero, si el mundo es dios, pues sírvale al mundo; pero no puede servir a los dos al mismo tiempo, porque si sirve al mundo, su príncipe es el diablo, y será su dueño. No puede tener dos esposos, no puede tener dos señores, no puede tener dos dioses, o el mundo o el Señor. Tiene que decidirse. ¿Qué le ofrece el mundo? Muerte, derrota, infierno, lago de fuego, perdición eterna, condenación. Cristo, por el contrario, le ofrece vida eterna, sangre que limpia el pecado, gozo y paz por la eternidad, el reino de los cielos. Fuera de Él no hay nada.

EL DIOS VERDADERO

Cuando Elías lanzó ese reto al pueblo; el pueblo permaneció callado.

> *Y Elías volvió a decir al pueblo: 'Sólo yo he quedado profeta de Jehová; mas de los profetas de Baal hay cuatrocientos cincuenta hombres'.*
>
> 1 Reyes 18:22

Los profetas de Baal

Los cuatrocientos cincuenta profetas servían a Baal, un dios falso, y Elías tenía a Jehová, el Dios verdadero. Entonces, Elías dijo:

> *Dénsenos, pues, dos bueyes, y escojan ellos uno, y córtenlo en pedazos, y pónganlo sobre leña, pero no pongan fuego debajo; y yo prepararé el otro buey, y lo pondré sobre leña, y ningún fuego pondré debajo. Invocad luego vosotros el nombre de vuestros dioses, y yo invocaré el nombre de Jehová; y el Dios que respondiere por medio de fuego, ése sea Dios'.*
>
> 1 Reyes 18:23-24

Todavía hoy en día es lo mismo, el Dios de nosotros responde con fuego. Cuando Cristo vino a la tierra dijo:

> *Fuego vine a echar en la tierra; ¿y qué quiero, si ya se ha encendido?*
>
> Lucas 12:49

Por lo tanto, hoy en día si usted tiene al Dios verdadero invoque Su Nombre y Él le responderá, le va a llenar de fuego para que usted no sea un cristiano carnal, ni mundano, sino alguien encendido como una antorcha de fuego que se mueve por esta tierra llevando luz a la humanidad. No se conforme con una mediocridad espiritual. Clame a Dios y dígale. "Tú eres Dios y Tú eres mi Dios, respóndeme con fuego", y va a sentir un calor por dentro, que va a quemar las cosas que no le convienen y la plenitud de la naturaleza de Dios será injertada en usted para que se mueva en amor, con gozo, con paz, con paciencia, en humildad, en fe, en victoria, con fruto y se mueva como lámpara encendida aquí abajo. Llevando victoria a la humanidad. Pero si usted no ha conocido a Cristo, acérquese a Él antes que sea demasiado tarde. La Palabra del Señor dice: "Buscad a Jehová mientras puede ser hallado, llamadle en tanto que está cercano" (Isaías 55:6).

Baal no responde

Y dice la Biblia que Elías dijo a los profetas de Baal:

> *Escogeos un buey, y preparadlo vosotros primero, pues que sois los más; e invocad el nombre de vuestros dioses, mas no pongáis fuego debajo.*
>
> 1 Reyes 18:25

Y los profetas de Baal mataron su buey, lo partieron en pedazos, prepararon su altar, pusieron la leña y la carne encima de la leña y comenzaron a invocar a Baal temprano en la mañana. Los cuatrocientos cincuenta profetas gritaban a toda voz y clamaban a su dios diciendo: "¡Baal respóndenos!" (1 Reyes 18:26). Pero no había respuesta a su clamor. Los profetas de Baal estuvieron clamando desde la mañana hasta el mediodía sin obtener respuesta. Elías comenzó a reírse y a burlarse de ellos diciendo:

> *Gritad en alta voz, porque dios es; quizá está meditando, o tiene algún trabajo, o va de camino; tal vez duerme, y hay que despertarle.*
>
> 1 Reyes 18:27

Y ellos clamaban a grandes voces y herían sus cuerpos con cuchillos y con lanzas conforme a su costumbre, hasta chorrear la sangre sobre ellos. Estos profetas paganos herían sus cuerpos, en sacrificio, clamando a un dios falso, para obtener de él respuesta, pero perdieron el tiempo, porque Baal nunca les contestó. Sin embargo, cuando el pueblo de Dios clama a Dios, Él responde porque es el Dios vivo, el verdadero, el único y fuera de Él no hay quien salve. Dios sí contesta y llena de bendición a los que invocan Su Nombre, si usted se dispone a clamar y a buscar, usted recibirá bendiciones de parte de Dios, y será una bendición para el pueblo necesitado, para un pueblo que está realmente hambriento de recibir la bendición del cielo. Usted no tiene que herir su cuerpo, no tiene que derramar sangre, pues son prácticas satánicas. *"El sacrificio de los impíos es abominación a Jehová"* (Proverbios 15:8). Dios demanda de nosotros alabanzas y un corazón limpio, humilde, sincero, lleno de verdad y justicia.

Los sacrificios de Dios son el espíritu quebrantado; al corazón contrito y humillado no despreciarás tú, oh Dios.

Salmo 51:17

La prueba del poder de Dios

La Biblia dice que ya era tarde y no había respuesta, y los profetas de Baal seguían histéricos clamando. Un día entero y no había respuesta. El dios de ellos no respondía.

Entonces dijo Elías a todo el pueblo: 'Acercaos a mí'. Y todo el pueblo se le acercó; y él arregló el altar de Jehová que estaba arruinado.

1 Reyes 18:30

Tomó doce piedras, como doce eran las tribus de los hijos de Israel, y con las doce piedras comenzó a edificar el altar de Jehová que estaba destruido y lo restauró. Buscó leña y la puso encima del altar y mató su buey y lo partió en pedazos y colocó la carne encima de la leña. Entonces mandó a hacer una zanja bastante grande y profunda alrededor del altar. Y cuando todo estaba preparado, Elías dijo a los hijos de Israel:

Llenad cuatro cántaros de agua, y derramadla sobre el holocausto y sobre la leña.

1 Reyes 18:34

Esto lo hicieron por tres veces de manera que el agua fluía alrededor del altar, y también se había llenado de agua la zanja. Pero tuvo que trabajar y esforzarse para hacer lo que Dios le había dicho.

¿Cuántos de los creyentes tendrán el altar del Señor destruido? No estamos hablando de un altar de madera, u otro material. Estamos hablando de una vida de consagración a Dios, llena de santidad, unción que agrade al Señor. Buscándolo cada día más en ayuno y oración. Saturado de la Palabra, haciendo siempre Su voluntad. La Palabra del Señor dice:

> *Limpiémonos de toda contaminación de carne y de espíritu, perfeccionando la santidad en el temor de Dios.*
>
> 2 Corintios 7:1

Si su altar está caído levántelo, si está destruido edifíquelo. Vuelva otra vez a levantarse en clamor delante del Dios de la gloria para que viva feliz y en paz, sabiendo que hace lo que a Dios le agrada para su vida. *"Si alguno destruyere el templo de Dios, Dios le destruirá a él; porque el templo de Dios, el cual sois vosotros, santo es"* (1 Corintios 3:17).

El respaldo de Dios

Elías sabía que Dios lo iba a respaldar en ese desafío a los profetas paganos; sabía en quien había creído. Tenía la seguridad y certeza que Dios no lo abandonaría y respondería a su clamor.

Elías quería demostrar que Jehová era poderoso para quemar todo por mojado que estuviera. Piensa que humanamente era imposible hacer un fuego en ese holocausto mojado y rodeado de agua. Pero para Dios no hay obstáculos, ni barreras, para

Él todo es posible. Elías miró hacía arriba e invocó el Nombre de Jehová, y clamó:

> *Jehová Dios de Abraham, de Isaac y de Israel, sea hoy manifiesto que tú eres Dios en Israel, y que yo soy tu siervo, y que por mandato tuyo he hecho todas estas cosas. Respóndeme, Jehová, respóndeme, para que conozca este pueblo que tú, oh Jehová, eres el Dios, y que tú vuelves a ti el corazón de ellos.*
>
> 1 Reyes 18:36-37

Verdaderamente Dios responde ante el clamor de Sus hijos. Él siempre quiere lo mejor para nosotros y no nos deja avergonzados. Oremos siempre que se haga Su perfecta voluntad y no la nuestra. La petición de Elías no era un capricho, era una necesidad para erradicar el mal que carcomía en ese momento al pueblo de Israel.

MI DIOS RESPONDE

Elías era uno sólo, no podía hacer mucho ruido, los cuatrocientos cincuenta profetas de Baal habían gritado frenéticamente el día entero. Se habían lastimado los cuerpos con cuchillos y no hubo una respuesta de arriba, ni una voz, ni un ruido, nada, en un día entero clamando.

Muchos hoy claman a dioses muertos que no responden, que no se conmueven ante nada, están toda la vida creyendo en algo sin vida. Cristo es la verdad y la vida. Clame a Él, que Él sí responde a su clamor, cuando lo hace con un corazón sincero, contrito y humillado. Pero Elías clamó una sola vez:

Respóndeme, Jehová, respóndeme... Entonces cayó fuego de Jehová, y consumió el holocausto, la leña, las piedras y el polvo, y aun lamió el agua que estaba en la zanja.

1 Reyes 18:37-38

Quiere decir, que del holocausto no quedó ni cenizas. Se quemó la leña y ésta desapareció y quemó las piedras donde estaba la leña. El fuego de Dios entró en la zanja y lamió el agua y la consumió. ¡Gloria sea a Dios! El fuego de Dios no se apaga. Aquí abajo se apaga con agua, pero el fuego del cielo, ni el agua, ni nada, lo puede apagar. Por eso es necesario que usted ore, se consagre a Dios, que clame a Dios y le pida. Y cuando Dios lo llena de ese fuego espiritual mantenga ardiente la bendición de Dios. 1 Corintios 3:13 dice: *"Y la obra de cada uno cuál sea, el fuego la probará"*.

Creyentes apagados

El problema hoy en día es que la mayor parte de los creyentes, están apagados, cualquier cosa los deprime, los atribula, los pone tristes y nerviosos. Pero cuando estamos llenos del fuego de Dios, éste nos deja sentir que estamos en victoria delante de Él.

¿Quiere ser un cristiano victorioso? Manténgase lleno del fuego de Dios, que donde quiera que vaya, usted va a alumbrar, va a ser una antorcha encendida. Recuerde que nuestra victoria la obtenemos por medio de nuestro Señor Jesucristo. Usted no está en el mundo para perder tiempo, ni está para gozarse de este mundo depravado, corrompido y vendido al diablo. Usted está aquí abajo para alumbrar, para dar testimonio, para parársele de frente a la humanidad, aunque sea el rey y decirle: *"Arrepentíos y convertíos para que sean borrados vuestros pecados"* (Hechos 3:19).

Usted está para ser de bendición a la pobre humanidad, que cada día va más en decadencia. Está para que lleno de fuego, se mueva alumbrando en las tinieblas de este mundo depravado. El motivo más hermoso que un ser humano puede tener es que, mediante su modo de vivir y forma de actuar otros sean impulsados a glorificar a Dios. *"Vosotros sois la luz del mundo"* (Mateo 5:14).

Si no se mueve lleno del fuego, en cualquier momento se cae, se va atrás, y retorna a los brazos de este mundo. Caminando abrazado con Jesucristo, no hay diablo que lo pueda derrotar, no hay diablo que lo doblegue, ni que lo envuelva en las tinieblas. Muchos se caen porque no están consagrados a Dios, están descuidados en la oración, en el ayuno y en la lectura de la Palabra. Tienen mucho trabajo, muchos quehaceres, muchas ocupaciones, pero no tienen tiempo para el Dios de la gloria, y el diablo sabe que mientras más días pasen en esa forma, se pone más débil espiritualmente y más carnal. El diablo está constantemente buscando una oportunidad para destruirnos, y en el momento oportuno le da el golpe y si usted no está firme no podrá sostenerse y caerá. *"Sobre todo, tomad el escudo de la fe, con que podáis apagar todos los dardos de fuego del maligno"* (Efesios 6:16).

La mayor parte de la gente que cae, cuando usted le pregunta, le dicen: "Me descuidé en la oración, hacía meses que no oraba adecuadamente, ¡había tanto trabajo!".

Conságrese a Dios

Primero, conságrese a Dios, lea la Biblia, llénese de Dios manténgase lleno del fuego del Dios de la gloria, y después haga lo que tenga que hacer, pero primero busque lo de Dios.

Para que cuando el diablo venga y lo quiera hacer caer en pecado usted pueda resistirlo; pues la Palabra de Dios dice:

> *Someteos, pues, a Dios; resistid al diablo, y huirá de vosotros.*
>
> Santiago 4:7

Porque cuando estamos firmes en la roca viene el viento, la tormenta, los torrentes, lo que venga y usted permanece en pie, firme, no hay quien lo derribe. Hay que llenarse del fuego de Dios y cuando clama como Elías, Dios no falla en responder porque usted no va a clamar a los baales, va a clamar al Dios verdadero.

El pueblo se arrepiente

Después que Dios quemó el holocausto, el pueblo se arrepintió de su mal proceder, y proclamaron que Jehová es Dios, el único, el verdadero. Entonces, Elías ordenó que apresaran a los cuatrocientos cincuenta profetas de Baal y a los cuatrocientos profetas de Asera para que no escapara ni uno, y los llevaron hacia el arroyo. Ahí Elías no dejó ni uno vivo, los degolló a todos. ¿Y por qué hizo eso? Porque era ley del Antiguo Testamento. Aquellos que fueran encontrados en idolatría, tenían que morir para que no contaminaran al pueblo (Deuteronomio 13:1-5; 17:3-5). Eso era en el Antiguo Testamento, en aquella época. La muerte era el castigo para los idólatras.

Si usted es un idólatra, que como aquellos hombres adora un Baal, un dios muerto, ídolo falso, *"tienen boca, mas no hablan; tienen ojos, mas no ven, orejas tienen, mas no oyen"* (Salmo 115:5-6), usted está bajo una sentencia de muerte espiritual, que si muere físicamente, se sale del cuerpo y pasa a condenación eterna. Por lo tanto, suelte los ídolos. Decídase por Cristo Jesús, el Hijo de Dios, apártese de la idolatría.

JESUCRISTO NUESTRO SALVADOR

En Cristo, Dios se encarnó para dar vida a toda la humanidad (Juan 1:1). Cristo es la imagen del Dios vivo. Todo el poder del Padre estaba sobre Jesucristo. En la persona de Jesucristo, el Padre mostró al mundo Su gloria Su amor, Su poder, Su justicia. Cristo fue hecho justicia de Dios por causa nuestra y en Él está la vida del hombre. Si usted acepta a Cristo en este momento, dejará de adorar a un "Baal", porque se va a encontrar con alguien vivo, que responde, que le va a acariciar, que le va hacer sentir Su presencia, que se va a manifestar a su vida. Cristo lo prometió, y dijo:

> *El que tiene mis mandamientos, y los guarda, ése es el que me ama; y el que me ama, será amado por mi Padre, y yo le amaré, y me manifestaré a él.*
>
> Juan 14:21

Estoy hablando del Cristo vivo, del Cristo resucitado, del Cristo que en la cruz murió, pero al tercer día se levantó de entre los muertos. Él dijo:

> *Todavía un poco, y el mundo no me verá más; pero vosotros me veréis; porque yo vivo, vosotros también viviréis.*
>
> Juan. 14:19

Dios le da oportunidades

Los cuatrocientos cincuenta profetas de Baal murieron, se fueron al infierno. Los cuatrocientos profetas de Asera, adoradores de Jezabel, murieron, se fueron al infierno y se perdieron; pero a usted Dios le está dando la oportunidad para que salga de la idolatría, salga de la ignorancia, y venga al Cristo que está con los brazos abiertos, frente a usted, reclamando su alma para Su reino. El Señor le llama diciendo: *"Dame, hijo mío, tu corazón"* (Proverbios 23:26).

Si alguno tiene sed venga a Cristo. Venga y beba gratis del agua de la vida. Cristo tiene vida para usted, aprovéchelo, que tal vez pronto será tarde para su alma. Venga a los pies de Cristo. Él quiere salvarle, Él quiere darle vida eterna. En Cristo no hay condenación, ni muerte; hay vida para usted por la eternidad.

IDOLATRÍA; MALDICIÓN PARA LOS PUEBLOS

Después que se acabó aquella fiesta trágica y los idólatras fueron exterminados, llovió sobre la tierra. Por lo tanto podemos decir que descendió lluvia cuando se acabó la idolatría en Israel.

Fíjese bien en esto, la lluvia vino cuando el pecado fue desarraigado, cuando los provocadores del pecado fueron destruidos. La idolatría es una de las causas de los juicios y de las maldades que hay sobre los pueblos, *"...ya que cambiaron la verdad de Dios por la mentira, honrando y dando culto a las criaturas antes que al Creador"* (Romanos 1:25).

Hay pueblos hoy en día que están hundidos bajo la bota de tiranos terribles, pero la idolatría es la causante de ese juicio. Por eso el pueblo tiene que liberarse de ese yugo. Los pueblos se hunden por causa de la idolatría; pero se acerca el día en que el juicio de Dios caerá, la ira de Dios caerá. ¡Mas ay de los idólatras! Dice la Biblia que no heredarán el reino de los cielos. Por eso escape por su vida, apártese de su pecado y venga a Cristo. *"Y al que a mí viene, no le echo fuera"* (Juan 6:37).

Termina la idolatría

Una vez se desarraigó la idolatría y se acabó con los baales en Israel; Elías le dijo a Acab:

> *Sube, come, y bebe; porque una lluvia grande se oye.*
>
> 1 Reyes 18:41

Y Acab obedeció a Elías, subió, comió y bebió hasta saciarse. Pero Elías no comió, ni bebió, sino que subió a la cumbre del monte Carmelo, y se arrodilló y oró a Dios. *"Y dijo a su criado: Sube ahora, y mira hacia el mar"* (1 Reyes 18:43). Esto era para ver si veía indicios de lluvia. El criado de Elías fue y miró siete veces, y:

> *A la séptima vez dijo: Yo veo una pequeña nube como la palma de la mano de un hombre, que sube del mar.*
>
> 1 Reyes 18:44

Elías clamó y clamó a Jehová, mandó a su siervo siete veces para ver si había una señal de lluvia. Pero no se desanimó cuando su criado iba y venía sin noticias positivas, pero a la séptima vez el criado dijo lo esperado, se vislumbraba a lo lejos una nubecita que fue lo suficiente para que Elías se sintiera victorioso.

Insista en la oración

Cuando usted ora y aparentemente no hay contestación, insista. Dios que le está oyendo, le está probando para ver si es verdad que usted es de los que cree, de los que están esperando con confianza *"Pedid, y se os dará; buscad, y hallaréis;*

llamad, y se os abrirá" (Mateo 7:7). Si usted insiste, Dios abrirá, si usted sigue clamando, Dios responderá, si usted sigue pidiendo, recibirá. No desista, no se canse, no se desanime. El Dios del cielo es fiel. Fiel y verdadero es Su Nombre. Le va a contestar, tenga confianza, Dios no ha fallado nunca en contestar.

> *Pero los que esperan a Jehová tendrán nuevas fuerzas; levantarán las alas como águilas; correrán y no se cansarán; caminarán, y no se fatigarán.*
>
> Isaías 40:31

Elías clamó una vez, y dos veces, y tres veces y en la séptima vez el siervo que estaba con él le dijo: "Veo una nubecita de apenas del tamaño de la palma de la mano que viene subiendo del mar". Y Elías le dijo:

> *Vé, y di a Acab: Unce tu carro y desciende, para que la lluvia no te ataje. Y aconteció, estando en esto, que los cielos se oscurecieron con nubes y viento, y hubo una gran lluvia.*
>
> 1 Reyes 18:44-45

Era un aguacero fuerte lo que mandaba el Dios de lo alto. *"Y la mano de Jehová estuvo sobre Elías, el cual ciñó sus lomos, y corrió delante de Acab hasta llegar a Jezreel"* (1 Reyes 18:46).

DIRÍJASE POR EL ESPÍRITU

"Por que en él vivimos, y nos movemos, y somos..." (Hechos 17:28). Haga como Elías, ciñáse los lomos y déjese dirigir por

Dios. No actúe por su cuenta sino con el poder de Dios, en Su bendición e impulsado por el poder de Su gloria. Ese sí que sabe mover en victoria a los que ponen su confianza en Él.

Esta es su oportunidad de comenzar a caminar en una vida nueva. Eche a un lado los ídolos, las religiones muertas, la tradición, las cosas que para nada edifican. Acepte a Jesucristo, el Hijo de Dios. Aproveche, porque pronto será tarde para la humanidad. Si la humanidad comprendiera la época en que vivimos no quedaría una sola persona ahora mismo que no se hubiera convertido ya a Jesucristo.

Lo que pasa es que la humanidad está tan entretenida y tan obsesionada en las cosas que perecen y en las cosas temporales, que no tienen tiempo, para nada más.

En eso hay miles de evangélicos envueltos. Hay miles y miles de llamados ministros envueltos más en los negocios materiales que en los ministerios. Tienen más tiempo dedicado a las cosas que producen dinero que a las cosas que producen potencia de arriba para llevar el mensaje al pueblo. Están tan entretenidos y ocupados que no tienen ni mensaje, están secos espiritualmente. No es época de dormir como los demás, es época de buscar a Dios. El que tiene un ministerio busque a Dios, conságrese a Él, que cuando se pare en el púlpito lleve Palabra de Dios y no palabra de hombre. No de humana sabiduría, sino Palabra del Espíritu, para que el pueblo se alimente, coma, se llene, se sature, crezca en la fe y viva. Es época difícil y final. Párese firmé y mire hacia adelante y muévase por la senda antigua, la senda de consagración a Dios, el camino de santidad, del acercamiento a Dios porque pronto viene el desenlace de la batalla final.

Cuando Elías acabó con todo el paganismo, con toda idolatría, y con la maldad que había en Israel el pueblo se tornó otra vez a Jehová. Estamos ahora en una situación similar. El momento del desenlace ha llegado, el momento decisivo ha llegado. Cada cual mantenga su posición en el ejército del Señor. Párese firme como un soldado de primera fila. Asuma su posición y comience a entrar recio en la batalla. Pronto esto se acabará, usted caliéntese en el Espíritu Santo, porque los que estén fríos se perderán, los que estén tibios los vomitarán, mas los que estén calientes, llenos del fuego de Jehová, se irán. ¡Alabado sea Dios!

FRÍO, TIBIO Y CALIENTE

En el mensaje que Jesús le da a la Iglesia de Laodicea en Apocalipsis 3:16, menciona tres condiciones espirituales: frío, tibio y caliente. En el caso de la Laodicea, el Señor le dice que es una iglesia tibia. Cuando hablamos de tibio, hablamos de algo templado, entre caliente y frío.

Si aplicamos este término a un individuo lo describimos como una persona floja o poco fervorosa.

Las fuentes de la Laodicea

Se dice que en las proximidades de Laodicea había dos fuentes de agua, una fría y otra caliente. Ambas eran agradables por sí solas, pero cuando éstas se mezclaban resultaba desagradable beberla, causando vómito inmediatamente. El Señor utiliza este elemento de la naturaleza en particular con ellos, para ilustrar la condición en que se encontraban. La iglesia de Laodicea estaba confundida, creyendo que estaba bien espiritualmente. Ellos estaban completamente cegados con su autosuficiencia, eran prósperos materialmente, por eso el Señor le dice en Apocalipsis 3:17:

> *Porque tú dices: Yo soy rico, y me he enriquecido, y de ninguna cosa tengo necesidad.*

Pero la realidad espiritual de esta iglesia era todo lo contrario, su condición era una de extremado descuido, tranquilidad y pereza. El Señor le señala su verdadera condición en Apocalipsis 3:17:

Y no sabes que tú eres un desventurado, miserable, pobre, ciego y desnudo.

Si llevamos este mensaje al creyente, veremos que es la persona que se convirtió a Cristo, que recibió el Espíritu Santo pero se descuidó, miró atrás. Comenzó a interesarse más en las cosas del mundo que en las de Dios y casi se le apagó el fuego, pero aún le queda un calorcito. Está tibiecito, como en un letargo espiritual, todavía está en la iglesia, de vez en cuando va a los cultos, le interesa más los entretenimientos carnales y los programas corruptos de la televisión que servirle al Señor. Sus almas están divididas en dos; en el templo son santos, pero fuera de él, mundanos.

Un creyente así no puede agradar a Dios. Esto explica el deseo de Cristo de que fuesen fríos más bien que tibios. Hay más esperanza para el frío, por cuanto no ha recibido el llamado del Evangelio, en cambio el tibio vive en una falsa seguridad religiosa, sin un verdadero compromiso con el Señor, por lo cual no tiene seguridad de salvación. De éste dice el Señor: *"Te vomitaré de mi boca"*. Señalando que una condición de tibieza espiritual, provoca el mismo efecto en el Señor que el que provoca el agua tibia al beberla una persona.

El Señor los amonesta y les exhorta a cambiar su estado de conformidad espiritual, a una de búsqueda sincera de Él:

Por tanto, yo te aconsejo que de mí compres oro refinado en fuego, para que seas rico, y vestiduras blancas para vestirte y que no se descubra la vergüenza de tu desnudez; y unge tus ojos con colirio para que veas. Yo reprendo y castigo a todos los que amo; sé, pues, celoso, y arrepiéntete.

Apocalipsis 3:18-19

Consagrados para ministrar

Ya ni alaban a Dios, perdieron aquel espíritu de adoración. Ya no se dedican como antes al trabajo en la obra de Dios. Ya no están consagrados para ministrar la Palabra del Señor, les falta santificación. Es por eso que la Palabra del Señor nos exhorta a santificarnos por completo: espíritu, alma y cuerpo.

Hermano vístete de la armadura de Dios otra vez, llénate del fuego de Jehová. Aunque seas evangelista, pastor, o líder del concilio, gózate en el Señor. Déjate tocar por el Espíritu Santo y que Él haga como quiera en tu vida.

Adórele como le adoraba David, que era rey de Israel. No permita que se le apague el fuego aunque se encuentre en la posición que sea. Mientras más alta sea su posición más fuego necesita, porque tiene más responsabilidad de llevar el mensaje de poder y un testimonio limpio delante de Dios.

Enviados a condenación

Cuando definimos el término frío se refiere a algo que está falto o privado de calor. Cuando llevamos este término al aspecto espiritual, hablamos de aquella persona del mundo, que no ha aceptado a Cristo como su Salvador Personal. Los fríos no tienen que hacer nada, ellos mismos se enviarán a la condenación, si no entregan sus vidas al Señor.

Estos pueden llegar a ser calientes en el Señor o fervientes cristianos, tal como llegaron a ser algunos personajes bíblicos como Mateo y Zaqueo que eran publicanos, gente de mala fama; la mujer samaritana y María Magdalena de quien el Señor expulsó siete demonios. Estas personas estaban frías, no habían conocido el victorioso evangelio de Jesucristo, pero se humillaron a Él y Dios les perdonó, haciéndolos nuevas criaturas, 2 Corintios 5:17 dice:

De modo que si alguno está en Cristo, nueva criatura es; las cosas viejas pasaron; he aquí todas son hechas nuevas.

Podemos entender que cuando el Señor expresa el deseo de que la iglesia fuese fría, en Apocalipsis 3:15, se refiere al hecho de que un frío por cuanto no conoce el evangelio, al recibirlo, puede llegar a ser un cristiano fiel y ferviente. Mas el tibio vive conforme a sus convicciones, lo cual es fatal para su alma.

La profecía bíblica se cumple en forma maravillosa y todo nos anuncia que el fin se acerca y Cristo viene ya. Afirmémonos cada día más en el Señor que pronto será tarde para las almas. ¿Qué harás? Haz lo que dice la Biblia en Jeremías 6:16:

Así dice Jehová: Paraos en los caminos, y mirad, y preguntad por las sendas antiguas, cuál sea el buen camino, y andad por él, y hallaréis descanso para vuestra alma.

Apártese del mundo y sirva a Cristo. Escape por su vida que el tiempo se acaba. ¡Amén!

Oración de fe por salvación

Amado Dios:
Acepto a Cristo ahora mismo como mi único Salvador. Te acepto Jesús públicamente, no me avergüenzo de ti, perdona mis pecados. Entra a mi corazón, cambia mi vida. Lávame en

Tu Sangre y ayúdame a que yo permanezca firme en tu camino, firme en la iglesia. Que sea bautizado y que sea lleno del Espíritu Santo.

Gracias Jesús, creo en ti y soy salvo ahora. Creo en ti Jesús, y Tu sangre limpió mis pecados. Amén.

Si a través de la lectura de este libro, Dios ha tocado tu corazón y le has aceptado como tu Salvador Personal o te has reconciliado con Él, escríbenos, queremos orar por ti.

Ministerio Cristo Viene, Inc.
BOX 949
CAMUY, P.R. 00627

PASOS A SEGUIR PARA SER SALVO

1. Recibe a Cristo como tu Salvador *(Juan 1:12).*
2. Ven a Él arrepentido y confiésale tus pecados *(1 de Juan 2:1 y Hechos 3:19).*
3. Pídele perdón por tus pecados *(1 Juan 4:10).*
4. Prométele que te vas a apartar del pecado y pídele su ayuda *(2 Timoteo 2:19).*
5. Ora diariamente a Él por tu salvación y por tu prójimo *(Lucas 21:36).*
6. Lee la Biblia diariamente *(Juan 5:39).*
7. Únete a una Iglesia donde puedas recibir el bautismo del Espíritu Santo y los Sacramentos instituidos por Cristo *(Hechos 2:3-4; 2:38; Marcos 16:16; Mateo 26:26-28).*

LOS DIEZ MANDAMIENTOS

Éxodo 20:3-17

1. No tendrás dioses ajenos delante de mí.

2. No te harás imagen, ni ninguna semejanza de lo que esté arriba en el cielo, ni abajo en la tierra, ni en las aguas debajo de la tierra. No te inclinarás a ellas, ni las honrarás, porque yo soy Jehová tu Dios, fuerte, celoso.
3. No tomarás el nombre de Jehová tu Dios en vano.
4. Seis días trabajarás, y harás toda tu obra; mas el séptimo día es reposo para Jehová tu Dios.
5. Honra a tu padre y a tu madre, para que tus días se alarguen en la tierra.
6. No matarás.
7. No cometerás adulterio.
8. No hurtarás.
9. No hablarás contra tu prójimo falso testimonio.
10. No codiciarás la casa de tu prójimo, no codiciarás la mujer de tu prójimo, ni su siervo, ni su criada, ni su buey, ni su asno, ni cosa alguna de tu prójimo.

TEMAS IMPORTANTES PARA ESTUDIAR EN LA BIBLIA

1

SÓLO CRISTO SALVA

1 Timoteo 1:15 Único Salvador

Hechos 4:12 Un solo Salvador

Mateo 28:18 Un solo Poder

1 Timoteo 2:5 Único Mediador

Romanos 8:34 Único Intercesor

Hebreos 7:25 Único Intercesor

Juan 14:6 Un solo Camino

Juan 6:35 Él es el Pan de la Vida

Efesios 2:18 Un solo Camino

1 Corintios 8:6 Un solo Dios y Señor

Judas 4 Único Soberano

Juan 8:36 Único Libertador

Juan 1:12 Por Él somos hijos

1 Juan 2:1 Único Abogado

1 Corintios 2:2 Lo Único a saber

1 Corintios 3:11 Único Fundamento

Juan 3:16 Por Él no nos perdemos

Colosenses 3:11 Él es el Todo

Colosenses 3:17 Hacerlo todo en su Nombre

Hebreos 4:14 Nuestro Único Sacerdote

FUERA DE CRISTO NO HAY VIDA ETERNA

2

SALVACIÓN

Hechos 2:37 Arrepentíos y Bautizaos

Marcos 16:15 Por el Evangelio

Hechos 3:19 Arrepentíos y Convertíos

Lucas 2:8 Hacer profesión de fe pública

Mateo 10:32 Hacer profesión de fe pública

1 Timoteo 6:12 Hacer profesión de fe pública

Hechos 11:21 Convertíos a Cristo

Mateo 10:22 Perseverar hasta el fin

Juan 3:3-8 Nacer de Nuevo

Juan 5:39 Leer la Biblia

Gálatas 2:16 Por fe en Cristo

Efesios 2:8-9 Por fe, no por obras

Romanos 8:13 Vivir por el Espíritu

Lucas 21:36 Orar en todo tiempo

1 Juan 3:6 Permanecer en Cristo

Juan 14:21 Guardar sus mandamientos

Juan 15:2 Trabajar para Cristo

Lucas 13:3-5 Arrepentirse y convertirse o se mueren

ARREPIÉNTETE Y VIVE PARA CR*ISTO*
NADIE MÁS PUEDE SALVARTE

3

SANTIDAD

DIOS NOS HA LLAMADO A SANTIDAD

1 Pedro 1:16 Sed Santos

1 Tesalonicenses 4:7 Exige santidad

Hebreos 12:14 Sin ella no verán al Señor

Efesios 5:27 Santidad en la Iglesia

Mateo 5:48 Sed perfectos

Colosenses 3:2 Cosas de arriba

2 Timoteo 2:19 Apartarse de iniquidad

Jeremías 2:5 Apartaos de vanidad

Romanos 8:13 Hacer morir las obras de la carne

1 Juan 2:15 No améis al mundo

Santiago 4:4 No améis al mundo

1 Corintios 11:14-16 Apariencia

1 Timoteo 2:9 Forma de vestir

1 Pedro 3:3 Adornos

Isaías 3:18-24 Adornos

Deuteronomio 22:5 Mujer vestida de hombre

SEAMOS LIMPIOS POR DENTRO Y POR FUERA

4

ADORAR Y CONFIAR SÓLO EN DIOS

Romanos 1:25 Al Creador y no a las criaturas

Romanos 3:4 Todo hombre mentiroso

Hechos 10:25-26 Pedro impide que lo adoren

Hechos 14:9-15 Pablo impide que lo adoren

Apocalipsis 22:9 Ángel impide adoración

Jeremías 17:5-7 Maldito el que confía en hombres

Isaías 42:8 Dios no comparte su gloria

Lucas 4:8 Adorar sólo a Dios

Salmo 118:8 Confiar en Dios, no en el hombre

Salmo 146:3 No confiar en hombres

Isaías 2:22 No confiar en hombres

Isaías 43:11 Sólo Dios salva

Mateo 6:6 Orar sólo a Dios (no a María, ni a muertos)

HAZ DE DIOS TU REFUGIO

5

SEÑALES DE QUE ERES UN CREYENTE

Marcos 16:15 Señales que nos dejó Cristo

Juan 14:12 Tienes poder de Dios

Gálatas 5:22 Los frutos del Espíritu

1 Corintios 12:7-11 Dones del Espíritu

2 Corintios 2:14-17 Si trabajas para Cristo

Romanos 8:14-16 Espíritu da testimonio

2 Corintios 5:15 Vives para Cristo

2 Corintios 5:17 Eres nueva criatura

Gálatas 6:8 Si rechazas los deseos de la carne

Gálatas 5:24 Han crucificado la carne con sus deseos

¿ERES TÚ UN CREYENTE?

6

IMÁGENES

Hechos 17:29 No tienen divinidad

Hechos 19:26 No tienen divinidad

Romanos 1:22-25 Es una necedad

Colosenses 2:20-23 Ni las toques

Éxodo 20:1-7 Los diez mandamientos

Deuteronomio 5:7-21 Los diez mandamientos

Isaías 44:9 Serán avergonzados

Deuteronomio 27:15 Dios las maldijo

Deuteronomio 4:15-16 Están corrompidas

1 Corintios 12:2 Ídolos mudos

Salmo 115:3-8 Como ellas te pondrás

NO LAS HAGAS NI LAS TENGAS ES IDOLATRÍA

7

ESPÍRITU SANTO

Juan 14:16-23 Él lo prometió

Juan 14:26 Nos lo enseñará todo

Hechos 1:8 Nos dará el poder

Hechos 2:3 Bautismo de Pentecostés

Hechos 2:33 Al recibirlo se ve y oye

Hechos 8:14-18 Se ve al recibirlo

Hechos 10:44-46 Señal de que lo has recibido

Hechos 19:2-6 Señal de las lenguas

Juan 7:37-39 Se siente al recibirlo

Juan 20:22 Jesús ordenó recibirlo

Efesios 5:18 Sed llenos de Él

Hechos 13:52 Sed llenos de Él

Hechos 11:15-16 Tenemos que recibirlo

TODOS DEBEMOS RECIBIRLO

8

EL BAUTISMO EN AGUA

Mateo 28:19 Mandato de Cristo

Marcos 16:16 Sacramento de vida

Hechos 2:38 Para perdón de pecados

Hechos 19:3-5 Hay que recibirlo

Hechos 8:35-38 Después de creer

Hechos 16:31-33 Después de aceptar a Cristo

Romanos 6:2-4 Sepultado en las aguas

Colosenses 2:12 Sepultado en las aguas

NO ES PARA NIÑOS, NI PARA PECADORES SIN ARREPENTIMIENTO

9

LA SANIDAD DIVINA

Éxodo 15:26 Dios es el Sanador

1 Pedro 2:24 Por Sus llagas fuimos sanados

Salmo 103:3 Sana todas tus dolencias

Santiago 5:14 El Señor los levantará por la oración

Mateo 8:17 Él llevó nuestras dolencias

Marcos 6:18 Los creyentes lo harán

Juan 14:14 Pedirlo en Su Nombre

Lucas 9:2 Cristo lo ordenó

Lucas 10:9 Cristo lo ordenó

3 Juan 1:2 Él desea que estés sano

1 Corintios 6:20 Glorifica a Dios en tu cuerpo

Hechos 10:38 Toda dolencia es del diablo

LA ORACIÓN DE FE SANA AL ENFERMO

10

ESPIRITISMO

Levíticos 19:31 No lo consultéis

Levíticos 20:6 Serán extirpados

Levíticos 20:27 Su sangre caerá sobre ellos

Deuteronomio 18:10-12 Es abominable

1 Crónicas 10:13-14 Por eso murió Saúl

Eclesiastés 9:4-5 Los muertos nada saben

Isaías 8:19-22 Serán sumidos en las tinieblas

Hechos 16:16:19 Son demonios que adivinan

ES OBRA DEL DIABLO

11

VENIDA DE CRISTO

Siete es el número profético que indica la totalidad en la obra de Dios. En siete días creó Dios el mundo. Seis días trabajó y en el séptimo descansó (2 Pedro 3:8). Han pasado casi 6,000 años de la creación del mundo. El próximo milenio, entramos en Su Reposo y Cristo estará reinando en la tierra con sus escogidos. Lee sobre estos eventos maravillosos próximos a ocurrir.

1 Corintios 15:51 El Rapto

1 Tesalonicenses 4:16 El Rapto

1 Corintios 15:22-23 Raptados por su orden

Apocalipsis 3:8-10 Los primeros rescatados

Apocalipsis 14:4 Los primeros rescatados

Apocalipsis 6:1-9 La gran tribulación

Marcos 13:24 Los últimos rescatados

Apocalipsis 7:9-14 Los últimos rescatados

Apocalipsis 8:9 y 11 Los juicios de Dios

Apocalipsis 20:4-5 El Milenio

TODO ESTÁ CUMPLIDO, CRISTO VIENE PRONTO

12

LA IGLESIA

Mateo 16:18 Cristo la instituyó

Romanos 16:16 Es de Él

Efesios 5:23 Es su Cuerpo

Colosenses 1:24 Es su Cuerpo

Efesios 1:22-23 Es su Cuerpo

Colosenses 1:18 Cristo es su cabeza

Hebreos 2:8 Todo sujeto a Él

Colosenses 2:8-10 Él es la cabeza

Hechos 4:11 Cristo es la piedra

Efesios 2:20-21 Cristo es la piedra

Romanos 9:33 Cristo es la piedra

1 Corintios 10:4 Cristo es la piedra

1 Pedro 2:4-8 Cristo es la piedra

Lucas 20:17 Cristo es la piedra

2 Samuel 22:2-3 Una sola roca

Efesios 5:27 Sin mancha ni arruga

Mateo 18:19-20 Cualquier congregación en Su Nombre

LA IGLESIA UNIVERSAL ES
EL CUERPO DE CRISTO

13

IMPORTANCIA DE LA BIBLIA

Juan 5:39 Hay que estudiarla

Hechos 17:11 Para saber la verdad

Lucas 22:36 Esa espada es la Palabra

2 Timoteo 3:14-17 Desde la niñez

2 Pedro 3:18 Crecer en su conocimiento

Romanos 15:4 Para nuestra consolación

2 Corintios 4:2 No adulterarla

1 Corintios 4:6 No ir más allá de ella

Apocalipsis 22:18 No adulterarla

Deuteronomio 4:2 No alterarla

Proverbios 30:6 No alterarla

Eclesiastés 3:14 No alterarla

Lucas 24:32-45 Él nos hace entenderla

1 Corintios 15:3-4 Todo conforme a ella

Juan 14:26 Él te enseña todo

Marcos 12:24 Por no conocerla

Marcos 7:5-9 La Biblia, no la tradición

DEBES LEERLA DIARIAMENTE

14

PECADOS Y SU PERDÓN

Romanos 6:23 Su paga es muerte

1 Juan 3:8 El que peca es del diablo

Hechos 10:43 Perdonados por Cristo

Salmo 103:3 Sólo Él puede perdonar

Hechos 13:38 Perdonados por Cristo

Romanos 3:25 Por Su Sangre

Colosenses 1:13-14 Por Su Sangre

1 Juan 4:10 Sólo en Cristo

Hebreos 9:28 Cristo los llevó

Mateo 26:28 Por Su Sangre

Hebreos 9:22 Sin derramamiento de Sangre no hay perdón

1 Juan 5:16 Orad por ellos

Hebreos 4:16 Orad sólo a Dios

Hebreos 10:11-12 El sacerdote no puede perdonarlos: Cristo sí.

Marcos 11:25 Sólo Dios puede

Marcos 2:7 Sólo Dios puede

Ezequiel 18:32 Si te conviertes

Salmo 130:4 Sólo en el Señor

Efesios 2:2 El diablo los hace pecar

SÓLO LA SANGRE DE CRISTO QUITA EL PECADO

15

TENEMOS UN ALMA

Job 32:8 Hay un espíritu en el hombre

Zacarías 12:1 El hombre tiene un espíritu dentro de sí

Mateo 10:28 Tenemos cuerpo y alma

1 Corintios 2:11 El espíritu del hombre está en él

1 Tesalonicenses 5:23 Tenemos alma, espíritu y cuerpo

Génesis 1:26 Dios nos hizo a Su semejanza. Tenemos una triple personalidad al igual que Él.

Hebreos 4:12 Tenemos alma y espíritu

Mateo 16:26 Es lo más importante

El alma y el espíritu forman nuestra personalidad espiritual que está dentro del cuerpo de carne. En la muerte se sale del cuerpo y pasa a la eternidad. Al paraíso o al infierno.

¿HACIA DÓNDE VAS TÚ?
SÓLO CRISTO SALVA
ENTRÉGATE A CRISTO Y SÁLVATE AHORA

16

LA MUERTE

Eclesiastés 12:7 El cuerpo vuelve al polvo y el espíritu a Dios

Santiago 2:26 El espíritu se aparta del cuerpo

1 Reyes 17:20-22 El alma sale del cuerpo

2 Corintios 5:8 Dejamos de vivir en el cuerpo

Filipenses 1:23 Si muere en Cristo se va con el Señor

Lucas 16:22 Si muere salvo los ángeles guían nuestra alma al paraíso

Lucas 16:23 Si muere condenado va al infierno

Apocalipsis 6:9-11 Los redimidos en el cielo hablan y los visten de blanco

Marcos 16:16 Unos mueren salvos y otros condenados

Apocalipsis 20:13 Los muertos en el infierno no salen hasta el juicio final. (Hades)

Apocalipsis 20:15 Los muertos que no están en el Libro de la Vida *pasan al lago de fuego y azufre por la eternidad. (Gehena)*

EN LA MUERTE SALES DEL CUERPO CON

SALVACIÓN O EN CONDENACIÓN

17

EL SÁBADO

Colosenses 2:16 Que nadie os juzgue por sábados

Gálatas 5:18 Los dirigidos por el Espíritu no están bajo la ley

Romanos 8:14 Los dirigidos por el Espíritu Santo, los tales son los hijos de Dios

Gálatas 2:21 Porque si por la ley se alcanza la justicia, entonces Cristo murió en vano

Mateo 12:5-8 Los sacerdotes en el templo no tenían que guardarlo. Mucho menos en Cristo que es la Iglesia

Marcos 2:27-28 Cristo es el Señor del sábado

Juan 5:18 Jesús no observaba el sábado

Juan 9:16 Jesús no observaba el sábado

Romanos 3:28 Somos justificados por la fe sin las obras de la ley

LA COMUNIÓN CONTINUA CON CRISTO ES EL DESCANSO DEL NUEVO TESTAMENTO

18

AYUNO

Jueces 20:26 Israel ayunó delante de Dios todo el día

1 Samuel 7:6 Israel ayunó y confesó su pecado delante de Dios

2 Samuel 12:16 David ayunó 7 días

Nehemías 9:1 Se reunían para ayunar

Jeremías 36:9 Promulgaron ayuno en presencia de Dios

Salmo 35:13 David ayunaba y oraba

Isaías 58:6 El ayuno es para desatar y romper los yugos del diablo

Mateo 6:16 Hay ayuno privado

Joel 2:15 Hay ayuno en asamblea

Mateo 9:15 Jesús estableció que sus discípulos ayunarían

Lucas 21:34 Cuidarnos de la glotonería

Marcos 9:29 Hay demonios que no salen si no es con ayuno y oración

Hechos 9:9 Pablo ayunó 3 días y fue lleno del Espíritu Santo

Mateo 4:1 Cristo ayunó 40 días y 40 noches

ES UN PRECEPTO DEL NUEVO TESTAMENTO PARA LOS CRISTIANOS

19

EL INFIERNO

Apocalipsis 20:13-14 Dará sus muertos para el Juicio Final

Apocalipsis 21:8 Los pecadores tendrán su herencia eterna en él (lago de fuego - Gehena)

Mateo 5:22 Para todo el que aborrece su prójimo

Mateo 8:12 Es una tiniebla para los desobedientes

Lucas 12:5 Teme a Dios que puede destruir tu alma en el infierno

Mateo 13:42 Todos los pecadores irán ahí

Mateo 18:8-9 Quita de tu vida todo lo que te pueda enviar al infierno

Mateo 22:13 Lugar de llanto y crujir de dientes

Mateo 24:51 Lugar para los hipócritas

Mateo 25:30 Lugar para los que no llevan fruto

Mateo 25:41 Estarán con el diablo y sus ángeles (Gehena)

Lucas 16:24 Es lugar de tormento y de sed

Salmo 9:17 Los malos irán ahí

Job 38:19 Hay un lugar de luz y uno de tinieblas. ¿Hacía cuál vas tú?

Proverbios 15:24 El lugar de salvación está hacía arriba y el de condenación hacia abajo

AHÍ VAN TODOS LOS QUE MUEREN EN PECADO

LOS QUE DICEN QUE NO HAY INFIERNO SON MENTIROSOS

LOS CREYENTES DE CRISTO SERÁN LEVANTADOS DE LA TIERRA ANTES DE QUE LOS JUICIOS CAIGAN

I. TIPOS EN EL ANTIGUO TESTAMENTO

Génesis 5:24 Enoc fue levantado al cielo por Dios

Génesis 7:10 Vino el diluvio pero, ya Enoc había sido levantado al cielo

Lucas 17:26 Cristo dijo que como fue en los días de Noé sería en los días de Su venida

2 de Reyes 2:11 Elías subido al cielo-Tipo del Rapto

2 de Reyes 2:24 Juicio sobre los jóvenes burlones. 42 despedazados.

Tipo de la grande tribulación que durará 42 meses (Apocalipsis 13:5). Hubo un juicio terrible sobre los jóvenes, pero antes Elías fue raptado - Primero un Rapto y después el JUICIO.

Ahora están a punto de caer los juicios de Dios por causa de la maldad, pero antes habrá un Rapto y los creyentes que andan con Dios como Enoc serán levantados. Los indiferentes se quedarán.

II. NUEVO TESTAMENTO

Mateo 3:12 Él recogerá el trigo en su granero y luego quemará la paja en fuego. Primero recoge

Lucas 21:34-36 Viene de repente UN DÍA TERRIBLE como un lazo. Pero los que estén firmes ESCAPARÁN

Apocalipsis 3:10 Viene HORA DE PRUEBA para todo el mundo, pero CRISTO LIBRARÁ los que guardan Su Palabra

Juan 14:2-3 Cristo nos llevará con Él. En esa forma nos librará

Apocalipsis 16:13-16 Antes de que ocurra la Tercera Guerra Mundial el Señor como ladrón nos llevará: ¿Cuándo?

Daniel 7:24-27 Nos dice que los ÚLTIMOS 7 AÑOS de esta edad son para Dios tratar con Israel. ANTES SU IGLESIA VUELA AL CIELO.

Zacarías 14:5 Cristo desciende a terminar la 3ra. Guerra Mundial y sus santos vienen con Él. Antes de la guerra los levantó.

III. ¿QUÉ HACER?

1 Tesalonicenses 5:23 Santificaos plenamente

Jeremías 6:16 Andad por la senda antigua